Deutsch

Annette Weber

Durch den Wind

LEKTÜRE FÜR JUGENDLICHE
MIT AUDIOS ONLINE

Hueber Verlag

Umschlagfoto: © Getty Images/iStock/FredFroese
Zeichnungen: Cornelia Seelmann, Berlin

Einen kostenlosen MP3-Download zu diesem Titel finden Sie unter
www.hueber.de/audioservice.
© 2019 Hueber Verlag GmbH & Co. KG, München, Deutschland
Alle Rechte vorbehalten.
Sprecher: Claus-Peter Damitz
Hörproduktion: Scheune München mediaproduction GmbH

Der Verlag weist ausdrücklich darauf hin, dass im Text enthaltene externe Links vom Verlag nur bis zum Zeitpunkt der Buchveröffentlichung eingesehen werden konnten. Auf spätere Veränderungen hat der Verlag keinerlei Einfluss. Eine Haftung des Verlags ist daher ausgeschlossen.

Das Werk und seine Teile sind urheberrechtlich geschützt.
Jede Verwertung in anderen als den gesetzlich zugelassenen Fällen bedarf deshalb der vorherigen schriftlichen Einwilligung des Verlags.

Eingetragene Warenzeichen oder Marken sind Eigentum des jeweiligen Zeichen- bzw. Markeninhabers, auch dann, wenn diese nicht gekennzeichnet sind. Es ist jedoch zu beachten, dass weder das Vorhandensein noch das Fehlen derartiger Kennzeichnungen die Rechtslage hinsichtlich dieser gewerblichen Schutzrechte berührt.

3. 2. 1. | Die letzten Ziffern
2023 22 21 20 19 | bezeichnen Zahl und Jahr des Druckes.
Alle Drucke dieser Auflage können, da unverändert,
nebeneinander benutzt werden.
1. Auflage
© 2019 Hueber Verlag GmbH & Co. KG, München, Deutschland
Umschlaggestaltung: Sieveking · Agentur für Kommunikation, München
Layout und Satz: Sieveking · Agentur für Kommunikation, München
Redaktion und Projektleitung: Katrin Dorhmi, Hueber Verlag, München
Lektorat: Veronika Kirschstein, Lektorat und Projektmanagement, Gondelsheim
Druck und Bindung: Passavia Druckservice GmbH & Co. KG, Passau
Printed in Germany
ISBN 978-3-19-988580-1

Art. 530_26606_001_01

Inhalt

Das Hörbuch zur Lektüre und die Tracks zu den Übungen stehen als kostenloser MP3-Download bereit unter www.hueber.de/audioservice.

Wer ist wer?

Merle Steins ist 16 Jahre alt. Sie wohnt in Hannover. Sie ist in der 9. Klasse. Merle fährt gerne Fahrrad. Mit ihrem Freund Clemens macht sie eine Fahrradtour nach Ostfriesland.

Clemens Richter ist Merles Freund. Er ist 17 Jahre alt. Merle und er sind seit einem halben Jahr zusammen. Sie haben sich auf einer Party kennengelernt.

Ole Haarms ist 16 Jahre alt und geht in die 9. Klasse. Er wohnt mit seiner Mutter in Bensersiel. Das ist ein kleiner Ort in Ostfriesland. Er hilft seiner Mutter in der Pension.

Frau Haarms ist Oles Mutter. Sie und ihr Mann sind geschieden. Sie hat eine kleine Pension, die Pension „Nordseeblick“. Viele Fahrradgäste übernachten hier.

Klaus ist der Herbergsvater in der Jugendherberge in Bremen.

Die geplante Fahrradtour

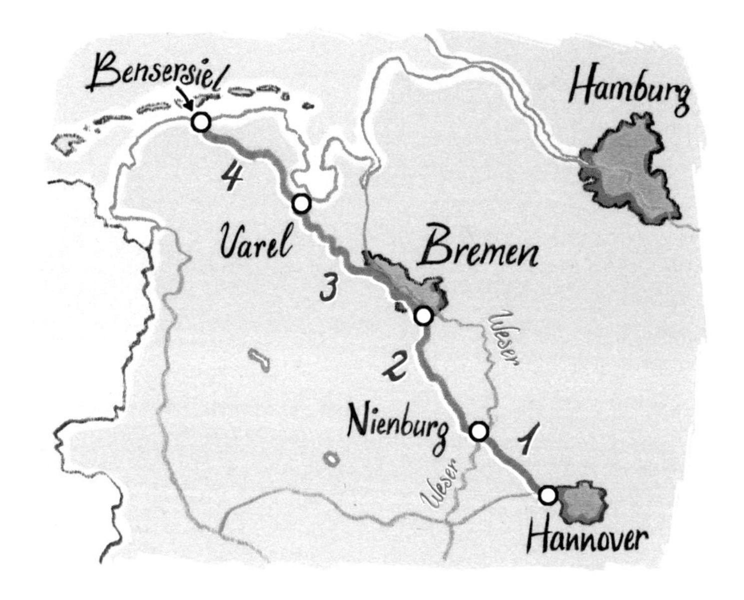

Merle und Clemens starten in Hannover.

1. Etappe: Hannover – Nienburg an der Weser (ca. 50 km)
Hier wohnen Clemens' Großeltern. Dort wollen Merle und Clemens übernachten.

2. Etappe: Nienburg – Bremen (ca. 65 km)
Merle und Clemens wollen an der Weser entlangfahren und in einer Jugendherberge übernachten.

3. Etappe: Bremen – Varel (ca. 75 km)
Hier wollen Clemens und Merle noch einmal übernachten.

4. Etappe: Varel – Bensersiel (ca. 60 km)
Merle und Clemens wollen bis an die Nordsee. Sie haben ein Zimmer in der Pension „Nordseeblick" reserviert.

---

die Etappe: ein Teilziel

übernachten: eine Nacht bleiben

01

Kapitel 1: Erwischt!

Merle erzählt:

Endlich sind wir in Bremen! Die zweite Etappe unserer Radtour haben wir geschafft. Jetzt müssen wir nur noch die Jugendherberge finden.

Mein Freund Clemens und ich sind mit dem Fahrrad unterwegs. In vier Tagen wollen wir von Hannover bis an die Nordsee radeln. Unser erstes Ziel war Nienburg an der Weser. Dort wohnen Clemens' Großeltern. Die erste Nacht haben wir bei ihnen geschlafen.

Heute sind wir weiter bis nach Bremen gefahren. Hier wollen wir in der Jugendherberge übernachten.

Merle, schau, da hinten ist schon die Weser. Dort liegt die Jugendherberge. Jetzt ist es nicht mehr weit. Wir sind bald da.

Wow! Endlich. Ich bin total kaputt!

Clemens ist mein Freund. Seit einem halben Jahr sind wir zusammen. Ich liebe ihn sehr.

In diesen Ferien machen wir zum ersten Mal zusammen Urlaub. Meine Eltern waren zuerst dagegen, aber dann haben sie doch Ja gesagt. Ich musste ihnen versprechen, dass wir gut auf uns aufpassen und jeden Tag anrufen.

Und jetzt können wir die Jugendherberge auch schon sehen. Wir geben noch mal alles. Endlich sind wir da! Wir gehen hinein, ein Mann kommt uns entgegen. Er ist klein und kräftig, und er sieht lustig aus.

Herzlich willkommen in unserer Jugendherberge. Ich bin der Herbergsvater. Ihr könnt gerne Klaus zu mir sagen. Und wie heißt ihr?

Ich heiße Clemens Richter und das ist meine Freundin Merle Steins.

Ihr seid auf Fahrradtour, oder?

Ja. Clemens und ich fahren von Hannover bis an die Nordsee.

Oho! Das ist weit, bestimmt 200 Kilometer, oder?

250 Kilometer. Wir fahren in vier Etappen.

---

hineingehen: in etwas gehen

kräftig: stark

der Herbergsvater: er leitet die Jugendherberge

Der Herbergsvater zeigt uns die Zimmer und den Speise-raum. Ich schlafe in einem Sechsbettzimmer für Mädchen. Es liegt im zweiten Stock. Mit mir ist noch eine kleine Gruppe im Zimmer.
Das Zimmer ist sehr einfach. Die Betten sind Stockbetten. Neben meinem Bett stehen ein Schrank und ein Stuhl. Ich schließe meine Fahrradtasche in den Schrank.

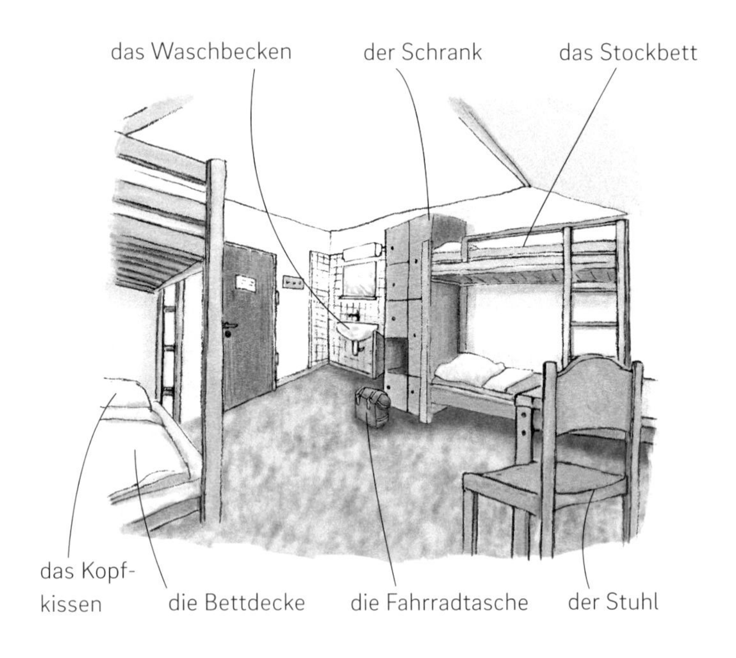

Dann treffe ich mich wieder mit Clemens. Er schläft im Zimmer der Jungen, ein Stockwerk unter mir. Zusammen gehen wir zum Abendessen.

Im Speiseraum gibt es ein Buffet mit vielen verschiedenen Sachen. Ich nehme einen Teller und lege Brot, Butter und Käse darauf. Auch einen Teller Tomatensuppe nehme ich mir, außerdem Obst und einen Tee.
Das Essen schmeckt ganz gut. Nur dieser rote Tee ist ein bisschen eklig.

Abends gehen Clemens und ich noch in die Stadt. Der Marktplatz von Bremen ist sehr alt. Vor dem Rathaus steht das Denkmal von den berühmten Bremer Stadtmusikanten.
Wir setzen uns in ein Straßencafé und essen ein Eis. Dann gehen wir langsam zurück.

das Buffet: → S. 28

eklig: scheußlich

die Bremer Stadtmusikanten: vier Tiere aus einer Geschichte von den Brüdern Grimm

Gegen zehn sind wir wieder in der Jugendherberge. Wir sind sehr müde. Jetzt verabschieden wir uns noch mit einem langen Kuss. Dann geht jeder in sein Zimmer.

In dieser Nacht kann ich nicht schlafen. Ich bin sehr müde, aber das Bett ist hart. Die Mädchen neben mir schlafen alle. Ich stehe leise auf und ziehe mich an. Dann gehe ich aus dem Zimmer. Auf dem Flur ist es ganz still. Ein Fenster ist offen. Ich stelle mich ans Fenster und schaue in die dunkle Nacht. Plötzlich höre ich Clemens sprechen. Er steht genau unter mir am Fenster. Erst will ich ihn rufen. Aber dann höre ich, dass er telefoniert.

Ja, ich liebe dich auch. Glaub mir, ich freue mich, wenn ich wieder zu Hause bin.

Ich bekomme einen großen Schreck. Wer spricht da? Ist das wirklich Clemens? Mit wem redet er?

Nein, wirklich, ich liebe nur dich! Ich mache nur noch diese Tour mit Merle. Wenn wir zurückfahren, mache ich mit ihr Schluss.

---

sich verabschieden: „Tschüs" sagen

der Kuss: zwei Münder treffen sich

der Schreck: man hat plötzlich Angst und das Herz klopft

Wie bitte? Ich kann nicht glauben, was ich da höre. Will Clemens wirklich mit mir Schluss machen? Das kann nicht sein. Wir lieben uns doch! Wir sind seit einem halben Jahr zusammen.
Soll ich zu ihm gehen? Ich muss mit ihm reden. Aber ich bin wie gelähmt. Meine Beine bewegen sich nicht von der Stelle.

Charlotte, ich bin mir total sicher. Ich liebe sie nicht mehr. Du bist das Mädchen, das ich liebe!

Charlotte? Er redet mit Charlotte? Charlotte ist meine beste Freundin. Aber ist sie wirklich am Telefon? Das kann doch nicht sein!
Ich denke nach. Charlotte und ich waren am ersten Ferientag zusammen mit Clemens auf einer Party. Die Party war sehr witzig. Leider musste ich schon um zehn Uhr nach Hause. Mein Vater hat mich abgeholt. Clemens und Charlotte sind noch geblieben. Aber die beiden haben sich doch wohl nicht ineinander verliebt, oder? Das kann ich einfach nicht glauben.

gelähmt: man kann sich nicht bewegen

sich bewegen: ↔ gelähmt sein

ineinander: Clemens liebt Charlotte und Charlotte liebt Clemens

Doch, wirklich, Charlotte. Ich mache mit Merle Schluss. Ich verspreche es dir. Ich will ihr jetzt nur nicht die Radtour kaputt machen. Sie hat sich doch so darauf gefreut.

Mein Kopf tut weh. Mein Herz tut weh. Und meine Beine sind immer noch wie gelähmt.
Jetzt gibt Clemens Charlotte einen Abschiedskuss durch das Telefon. Das ist zu viel für mich. Ich laufe in mein Zimmer zurück und ziehe mir die Bettdecke über die Ohren. In meinem Kopf kreisen die Gedanken. Clemens? Charlotte? Das kann nicht sein. Ich will nicht, dass das wahr ist! Ich muss mit Clemens reden.

Die ganze Nacht kann ich nicht schlafen. Immer wieder muss ich an Clemens denken. Wenn er wirklich mit mir Schluss macht, kann ich auch gleich gehen.
Plötzlich weiß ich, was ich tun will. Ich will diese Radtour weiterfahren – ohne Clemens!
Am Morgen stehe ich ganz früh auf. Es ist windig und es regnet, aber ich fahre einfach los. Nach 70 Kilometern wollten wir noch einmal übernachten. Aber ich fahre weiter und weiter. Durch den Wind und den Regen. Und weiter und weiter. Und weiter und weiter.

kreisen: immer wieder kommen

der Gedanke: hat man, wenn man denkt

2 ·)))

Kapitel 2: Schreck am Nachmittag

Ole erzählt:

Ole, heute kommen die beiden jungen Leute, du weißt schon, die für Zimmer 7.

Kein Problem. Ich mache die Betten fertig. Und wann kommt die große Gruppe Fahrradfahrer?

Die kommen übermorgen.

Dann putze ich die Zimmer heute auch schon mal. Soll ich noch etwas einkaufen?

Das mache ich schon. Ich wollte sowieso noch zu Oma.

Meine Mutter schließt die Haustür hinter sich. Ich schaue aus dem Fenster. Sie sieht zu mir und lächelt. Dann steigt sie auf ihr Rad und fährt los.

Ich mache mich an die Arbeit. Im Zimmer 7 und 8 beziehe ich die Betten. In den Zimmern 3, 4, 5 und 6 muss ich staubsaugen und das Zimmer putzen.

---

lächeln: leise lachen

das Bett beziehen, staubsaugen, putzen: → S. 14

Meine Mutter besitzt eine kleine Pension an der Nordsee. Sie heißt Pension „Nordseeblick" und liegt in Bensersiel an der Nordsee. Viele Radfahrer übernachten bei uns. Früher haben meine Eltern diese Pension zusammen gehabt. Mein Vater lebt aber seit drei Jahren nicht mehr bei uns. Seitdem helfe ich meiner Mutter, so gut ich kann. Jetzt in den Sommerferien habe ich viel Zeit.
Ich mache das Frühstück, ich putze und ich kaufe ein. Ich mache die Arbeit nicht so gerne, aber die Touristen bringen gutes Geld.

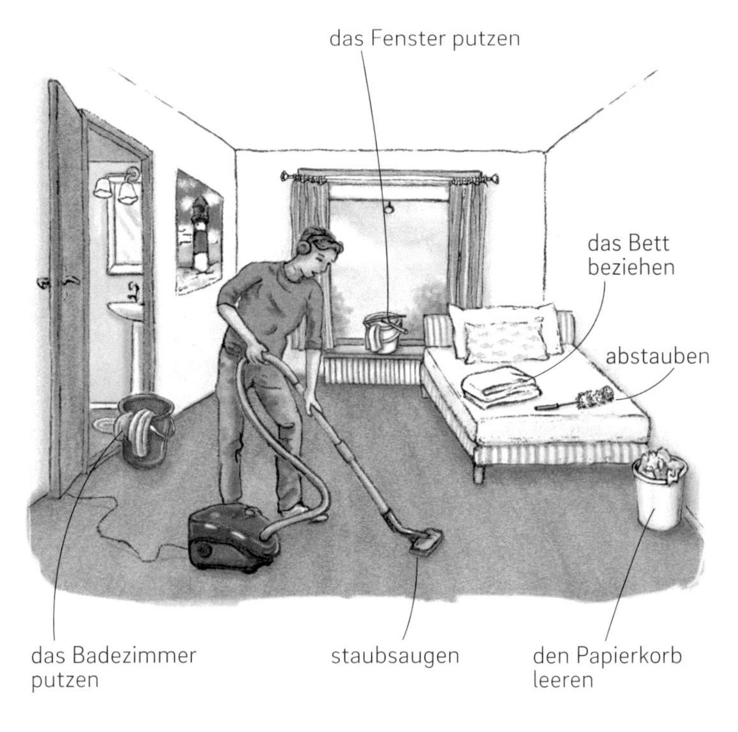

besitzen: haben

seitdem: seit dieser Zeit

gutes Geld bringen: man verdient gut

Jetzt mache ich Musik an und beginne mit der Arbeit. Endlich bin ich fertig. Ich stelle mich ans Fenster und schaue auf die Nordsee. Langsam geht die Sonne unter. Meine Mutter müsste bald zurück sein.

Plötzlich klingelt es an der Haustür. Schnell laufe ich nach unten und mache auf.
An der Haustür stehen zwei Polizisten.

Guten Tag, bist du Ole Haarms?

Ja, der bin ich. Was ist denn los? Ist etwas passiert?

Die Polizisten sehen sehr ernst aus.

Ja, leider. Deine Mutter ist mit dem Rad gestürzt. Sie hat sich das Bein gebrochen und liegt im Krankenhaus.

Oh nein! Das kann doch nicht sein. Das glaube ich einfach nicht! Sie wollte doch nur zu meiner Oma! Meine Oma wohnt doch nur ein paar Straßen weiter.

---

untergehen: nach unten gehen

ernst: ↔ lustig

stürzen: fallen

gebrochen: kaputtgegangen

Es tut uns wirklich sehr leid. Komm.
Wir bringen dich zu ihr ins Krankenhaus.

Ich bin wie gelähmt. Die Polizisten sind nett. Sie bringen mich zum Krankenhaus. Ich darf nur ganz kurz zu meiner Mutter. Sie weint. Sie weiß gar nicht, wie das alles passiert ist. Es hat geregnet. Die Straße war nass. Da ist sie plötzlich mit dem Rad gestürzt.

Mama, bitte nicht weinen! Dein Bein wird doch wieder gesund. Bald bist du wieder zu Hause.

Bald? Zwei Wochen muss ich im Krankenhaus bleiben, sagen die Ärzte. Und danach muss ich vielleicht noch eine Reha machen.

Wir schaffen das schon. Wir haben doch schon ganz andere Dinge geschafft!

Aber was machst du in der Zeit?

die Reha: kranke Menschen werden hier wieder fit gemacht

Das ist gar kein Problem. Ich komme schon klar. Ich habe doch Sommerferien. Morgen komme ich dich wieder besuchen. Dann hast du die Operation hinter dir. Ich bringe dir ein paar Sachen mit.

Und was machen wir mit der Pension?

Ich weiß auch nicht. Meinst du, wir können sie so lange schließen?

Im Moment habe ich auch keine andere Lösung.

Aber wir brauchen dringend das Geld.

Eine Stunde bin ich bei meiner Mutter. Wir reden und überlegen. Aber uns fällt keine Lösung ein. Dann gehe ich. Die Polizisten haben auf mich gewartet. Sie bringen mich nach Hause.

Es ist schon dunkel und es regnet. Unsere kleine Pension sieht plötzlich so traurig aus. Ich bedanke mich bei den Polizisten. Dann gehe ich durch den Vorgarten auf das Haus zu.

---

klarkommen: gut machen können

überlegen: im Kopf nach einer Lösung suchen

der Vorgarten: kleiner Garten vor dem Haus

Gerade will ich zur Haustür gehen, da sehe ich jemanden vor der Tür. Ein Mädchen steht dort mit dem Rad und sucht die Klingel.

Hallo? Willst du zu uns?

Huch. Oh ... Ich dachte schon, es ist niemand zu Hause. Es sieht alles so dunkel aus.

Eigentlich haben wir im Moment auch geschlossen.

Ich bin Merle Steins, ich habe ein Zimmer reserviert. Leider erst für morgen. Aber ich bin heute auf der Radtour so schnell vorwärts-gekommen ...

Das Mädchen sieht sehr müde aus. Und sie ist sehr nass. Trotzdem. Heute kann ich nicht noch mehr Stress gebrauchen.

Das tut mir leid. Heute geht es wirklich nicht.

---

die Klingel: ist an der Haustür und macht „ding dong"

gebrauchen können: haben wollen

Warum nicht? Bitte! Ich bin ganz nass. Ich brauche auch nur ein Zimmer und ein Bett.

Trotzdem. Wir haben heute leider geschlossen. Es hat einen Unfall gegeben ...

Sie sieht so traurig aus. Ich habe Angst, dass sie gleich weint.

Bitte lass mich doch rein! Es ist schon dunkel. Ich bin so lange gefahren – von Bremen bis zu euch! Das sind 130 Kilometer. Und geregnet hat es auch die ganze Zeit. Ich bin total nass.

Sie zittert. Jetzt kriege ich wirklich Mitleid mit ihr. Ich könnte auch gleich weinen. Und kalt ist mir auch. Aber jetzt guckt sie mich so unglücklich an. Sie sieht aus wie eine nasse Katze. Au Mann! Ich bin viel zu gut für diese Welt. Ich habe mehr Mitleid mit ihr als mit mir!

Na gut, komm rein! Das Zimmer ist auch schon fertig. Es ist oben im ersten Stock, Nummer 7. Hier ist der Schlüssel.

Sie nimmt den Schlüssel und geht nach oben.

---

zittern: das macht man, wenn einem sehr kalt ist

kriegen: bekommen

das Mitleid: es tut jemandem leid

angucken: anschauen

Ich schaue ihr nach.
Sie braucht eigentlich eine warme Badewanne. Und auch ein warmes Abendessen. Und einen heißen Tee. Und eigentlich müsste ich ihr noch den Trockenraum zeigen. Aber ich bin viel zu müde dazu.

Hoffentlich ist Mama bald wieder zu Hause.

---

der Trockenraum: dort kann man Sachen trocknen

Kapitel 3: Zu zweit geht alles besser

Merle erzählt:

Ich habe gut geschlafen. Darüber bin ich froh. Ich hatte schon Angst, dass ich immer an Clemens denken muss. Aber im Gegenteil. Ich habe fast gar nicht an ihn gedacht. Ich habe an den netten Jungen von gestern gedacht. Ole Haarms heißt er. Im Zimmer liegt ein Prospekt von der Pension. Da gibt es ein Foto von seiner Mutter und ihm. Ole war echt nett zu mir. Aber er hat auch traurig ausgesehen. Was wohl passiert ist?
Ich stehe auf, dusche und ziehe mich an. Dann gehe ich langsam die Treppe hinunter. Es riecht nach Kaffee.

Ich habe ein bisschen Bammel vor dem Tag. Wie geht es jetzt weiter? Soll ich weiterfahren? Soll ich nach Hause zurück?
Nur eins weiß ich genau. Ich will nicht mehr mit Clemens zusammen sein. Nie mehr!

Oh, da ist Ole schon! Er hat Frühstück gemacht. In einem kleinen Zimmer mit vielen Tischen und Stühlen hat er einen Tisch für mich gedeckt.

Hallo Merle, guten Morgen!

Guten Morgen.

hinunter: nach unten

der Bammel: die Angst

decken: Teller und Tassen auf den Tisch stellen

Ich habe den Tisch hier für dich gedeckt.

Danke. Wie lieb von dir!
Bin ich ich der einzige Gast?

Im Moment schon. Allerdings wollte heute eine größere Gruppe Radfahrer kommen. Ich muss ihnen aber leider absagen.

Warum?

Meine Mutter ist im Krankenhaus. Sie kann sich nicht um die Gäste kümmern. Und allein schaffe ich das ja auch nicht.

Ist es schlimm mit deiner Mutter?

Sie ist mit dem Rad gestürzt und hat sich das Bein gebrochen. Das hat mich richtig geschockt. Ich will gleich zu ihr fahren. Sie wird heute operiert.

Das tut mir leid.

---

der / die einzige: nur ein / eine

absagen: sagen, dass es nicht geht

geschockt: wenn man einen Schreck bekommen hat

Ich habe vorhin mit meiner Mutter telefoniert. Wir haben jetzt gesagt, dass wir die Pension für zwei Wochen schließen. Das ist zwar sehr schade, aber wir können es nicht anders machen.

Das verstehe ich. Ich frühstücke schnell, und dann verschwinde ich, okay?

Am Ende der Straße gibt es noch die Pension „Ferienglück". Die ist auch ganz nett. Vielleicht ist dort ein Zimmer frei.

Danke.

Ich frühstücke. Der Junge lässt mich allein. Ich höre ihn telefonieren. Aber er erreicht niemanden. Er spricht eine Nachricht auf die Mailbox.

Hallo, hier ist Ole Haarms von der Pension „Nordseeblick" in Bensersiel. Sie können leider nicht zu uns kommen. Unsere Pension bleibt für zwei Wochen geschlossen. Bei uns hat es einen Unfall gegeben.

---

vorhin: vor kurzer Zeit | verschwinden: weggehen

Er legt auf. Das ist auch für mich ein Zeichen. Ich muss jetzt gehen. Der Junge hat wichtigere Dinge zu tun. Ich bin fertig mit dem Frühstück. Es war lecker. Jetzt packe ich meine Sachen zusammen.

Es ist noch nicht mal elf Uhr. Trotzdem wartet Ole ungeduldig an der Treppe auf mich. Ich gebe ihm den Schlüssel zurück. Dann bezahle ich meine Übernachtung. Was ich machen soll, weiß ich immer noch nicht. Soll ich nach Hause fahren? Oder einmal kurz im Meer baden? Es ist sonnig, aber leider ziemlich kühl. Wenn ich schon mal hier bin ... So schnell komme ich ja nicht wieder an die Nordsee.

Danke für alles. Es war sehr nett bei euch.

Freut mich. Tut mir leid, dass du nicht bleiben kannst.

Kein Problem.

Ich öffne die Tür. Ups, was ist denn hier los? Wer ist das denn? Auch Ole ist überrascht.

---

die Übernachtung: wenn man eine Nacht bleibt

überrascht: wenn man mit etwas nicht gerechnet hat

Schön ist es hier!
Hier kriegen wir gleich einen Kaffee!
Endlich sind wir da!
Endlich mal kein Regen in Ostfriesland!
Ich freue mich auf eine heiße Dusche!

Sind Sie die Gruppe, die vier Tage bei uns übernachten möchte?

Ja, das sind wir. Wir sind etwas früh, oder? Hoffentlich ist das kein Problem. Wir sind so früh losgefahren, weil wir den Sonnenaufgang fotografieren wollten.

Jetzt haben wir großen Hunger!

Und müde sind wir auch! Ich kann keinen Meter mehr fahren.

der Sonnenaufgang: wenn der Tag beginnt

Leider gibt es ein Problem. Ich habe auf Ihre Mailbox gesprochen. Wir haben … meine Mutter hat … also, genau genommen …

Plötzlich mische ich mich ein. Warum mache ich das? Ich weiß es selbst nicht. Ich habe einfach Mitleid mit den Radfahrern. Und mit Ole auch. Ich sage:

Aber eigentlich ist das doch gar kein Problem.

Wie bitte?

Da bin ich aber froh. Ich dachte schon, wir können nicht bleiben.

Also, eigentlich ist es schon so …

Aber wieso? Die können doch bleiben, oder? Die Zimmer sind doch fertig.

Aber das Frühstück …

Ole spricht jetzt leiser. Die Radfahrer hören nicht auf ihn. Sie stellen ihre Fahrräder ab und kommen einfach herein. Ole starrt sie an.

---

sich einmischen: ungefragt seine Meinung sagen

anstarren: lange ansehen

Dann schaut er zu mir. Wahrscheinlich denkt er, dass ich ihn nicht verstanden habe. Ich mache ihm einen Vorschlag:

Hör zu. Ich bleibe zwei Wochen hier und helfe dir. Was meinst du? Frühstück machen und putzen kann ich doch auch.

Merle, weißt du, was du da sagst?

Klar!

Die Radfahrer stehen jetzt auf dem Flur. Ole gibt ihnen ihre Schlüssel. Laut und fröhlich reden sie durcheinander. Dann gehen sie die Treppe hinauf zu ihren Zimmern. Ole und ich schauen uns einen Moment an. Dann muss Ole grinsen.

Dann sind wir jetzt also Kollegen?

Sieht ganz so aus.

Ich bleibe nachmittags in der Pension. Ole fährt ins Krankenhaus. Abends kommt er zurück und lächelt mich an.

Viele Grüße von meiner Mutter.
Sie meint, du bist bestimmt ein Engel.

hinauf: nach oben

grinsen: breit lächeln

der Engel: fliegt vom Himmel zu den Menschen und hilft

04 Kapitel 4: Und noch ein Gast

Ole erzählt:

Dieses Mädchen ist wirklich eine Überraschung. Ich erkenne sie gar nicht wieder! Erst sitzt sie so klein und nass vor der Haustür und sieht ganz traurig aus. Jetzt macht sie das Frühstück für die Gäste. Sie schneidet das Obst, macht Kaffee, sie deckt die Tische und räumt sie wieder ab. Alles in einem schnellen Tempo.

das Frühstücksbuffet

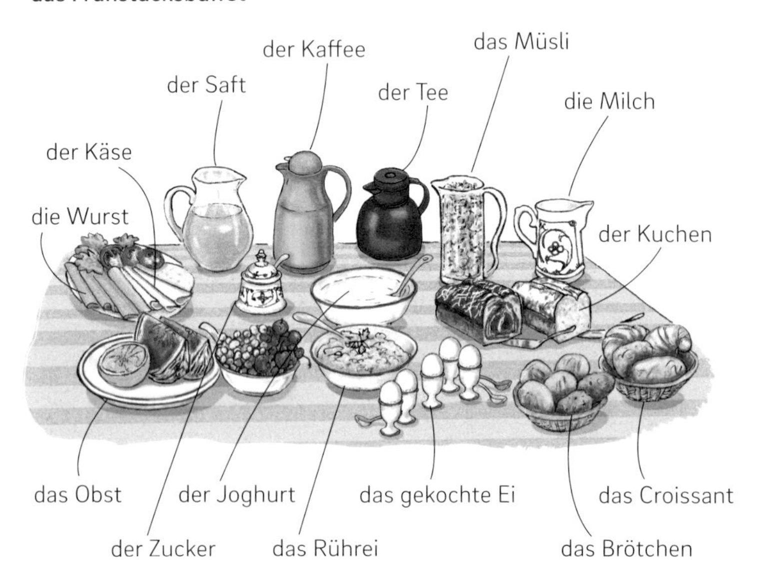

wiedererkennen: etwas ist gleich wie vorher

abräumen: den Tisch aufräumen

das Tempo: wenn etwas sehr schnell gemacht wird

Ich trinke morgens keinen Kaffee.
Haben Sie auch Früchtetee?

Früchtetee. Natürlich.
Kommt sofort.

Können Sie mein Ei bitte dreieinhalb
Minuten kochen?

Das ist kein Problem.

Jetzt kommt sie zu mir in die Küche.

Ole, haben wir eigentlich Früchtetee?
Ich habe es schon einem Gast versprochen.

Glück gehabt. Wir haben sogar zwei
verschiedene Früchtetees.

Außerdem bitte ein Dreieinhalb-Minuten-Ei.

Das sind ja viele Extrawünsche.

Die Gäste sollen ja auch zufrieden sein.

---

der Früchtetee: roter Tee aus Früchten

der Extrawunsch: ein besonderer Wunsch

Die Gäste sind sehr zufrieden. Ich bin es auch. Merle und ich verstehen uns richtig gut. Es macht Spaß mit ihr. Sogar das Putzen ist lustig. Wir machen die Musik ganz laut an.
Dann teilen wir uns die Arbeit auf. Merle saugt und staubt ab, ich putze die Badezimmer.
Manchmal singen wir auch bei der Arbeit. Und manchmal tanzen wir sogar.
Natürlich nur, wenn die Gäste nicht mehr da sind.

Heute ist ein schöner Tag ...
yeah jippi yeah ... heut' putzen
wir das ganze Bad ...
yeah jippi yeah ...

Merle hält einen Föhn wie ein Mikrofon vor den Mund. Ich singe laut mit. Dann tanze ich über den Flur.
Hat es geklingelt? Die Musik ist so laut.
Ich tanze die Treppe hinunter. Durch das Glas sehe ich jemanden. Ich öffne die Tür. Es ist ein Junge mit einem Fahrrad.

Hallo. Ich hatte ein Zimmer reserviert.
Eigentlich für gestern auf heute.

Ja. Wie ist dein Name?

der Föhn: macht die Haare trocken

das Mikrofon: macht die Stimme laut

Immer noch singt Merle laut.

Wer singt da so schief?

Ich weiß gar nicht, was ich sagen soll. Jetzt hat Merle gemerkt, dass jemand gekommen ist. Sie hört auf zu singen. Dann macht sie die Musik aus und schaut die Treppe hinunter. Ihr Gesicht wird ganz weiß. Und auch der Junge ist überrascht.

Merle? Was machst du hier?

Ich arbeite hier.

Sag mal, spinnst du? Ich habe mir furchtbare Sorgen gemacht! Du bist nicht an dein Handy gegangen ...

Nein? Oh. Warum wohl nicht?

Ich habe dich überall gesucht! Ich bin dann weitergefahren nach Varel. Aber da warst du auch nicht.

---

schief: falsch

spinnen: verrückt sein

Stimmt!

Und jetzt läufst du hier mit einem Staubsauger durch das Haus. Das glaub' ich nicht!

Merle sieht richtig wütend aus. Wer ist dieser Typ? Ist das hier ihr Freund? Hat sie sich mit ihm gestritten und ist deshalb allein hier angekommen? Er tut mir ein bisschen leid. Er sieht sehr müde aus. Aber Merle will, dass er wieder verschwindet. Und eigentlich möchte ich das auch.

Warum bist du gekommen? Wolltest du hier mit mir Schluss machen?

Bitte, Merle. Können wir uns mal in Ruhe unterhalten?

Will er wirklich hier mit ihr Schluss machen? Das kann er doch nicht im Flur mit ihr besprechen.

Ich lasse euch mal alleine, ja?

Aber ein Zimmer musst du ihm nicht vermieten. Der bleibt nicht lange!

---

wütend: wenn man sich sehr geärgert hat

Kapitel 5: Wenn Schluss ist, ist Schluss

Merle erzählt:

Clemens folgt mir in mein Zimmer. Er hat dieses typische Clemens-Gesicht. Damit will er sagen: „Ich verstehe die Welt nicht mehr. Was hast du denn?"
Und jetzt sagt er es tatsächlich.

Ich verstehe die Welt nicht mehr.
Was hast du denn?

Gute Frage!

Ich habe dich überall gesucht. Eine Frau hat mir dann gesagt, du bist früh am Morgen allein losgefahren. Ich konnte das gar nicht glauben! Was ist denn mit dir los?

Ich habe plötzlich gemerkt, dass ich dich gar nicht liebe. Darum möchte ich gerne Schluss machen!

Aber wieso denn? Was ist los?
Was habe ich dir getan?

Okay. Ich sage es dir: An dem Abend in der Jugendherberge in Bremen habe ich dein Telefongespräch mitgehört.

---

folgen: hinter einer Person gehen

Welches Gespräch? Was meinst du?

Er lügt. Das sehe ich ihm an.

Natürlich weißt du es! Du hast mit Charlotte telefoniert!

Waaaas? Wie? Welche Charlotte denn?

Ich sage kein Wort mehr. Clemens redet sich um Kopf und Kragen. Ich lasse ihn reden. Ich weiß, was ich weiß.

Glaub mir, Merle. Du hast da was falsch verstanden! Okay ... okay... ich gebe es ja zu: Ich war mit Charlotte zusammen. Aber nicht so richtig. Verstehst du?

Nein, das versteht er ja noch nicht mal selbst.

Ich habe das nur gemacht, weil sie so verliebt in mich ist.

Oh nein! Der ist ja schlecht im Lügen.

Dann hast du sie also angelogen.

sich um Kopf und Kragen reden: etwas erklären, aber keine gute Erklärung haben

zugeben: die Wahrheit sagen

Ja, genau. Ich will nicht mit dir Schluss machen! Das habe ich nur so gesagt. Ich wollte Charlotte beruhigen.

Eins ist klar: Du lügst! Entweder lügst du mich an oder Charlotte.

Merle hör doch mal zu. Es ist so ...
Es ist nicht so ... Also genau genommen ist es so ...

Egal, wie es ist – das interessiert mich gar nicht! Ich will jetzt Schluss machen!

Bitte, Merle, gib mir noch eine Chance! Bitte!

Ich möchte, dass du jetzt gehst!

Clemens dreht sich auf der Stelle um und geht. Ich schließe die Tür hinter ihm. Dann drehe ich mich um. Hinter mir steht Ole. Er schaut mich unsicher an.

Alles okay mit dir?

Mir ist es noch nie besser gegangen!

beruhigen: ruhig machen

auf der Stelle: sofort

06 Kapitel 6: Eine Nacht auf der Insel

Ole erzählt:
Zwei Tage später reisen die Radfahrer ab. Es hat ihnen bei uns sehr gut gefallen. Im nächsten Jahr wollen sie wiederkommen.

Ich habe eine tolle Idee: Wenn wir jetzt loslaufen, kriegen wir noch das Schiff nach Langeoog. Dann machen wir uns einen schönen Tag auf der Insel. Was meinst du?

Langeoog! Da wollte ich schon immer hin.

Dann los!

Wir fahren eine Stunde mit dem Schiff. Dann steigen wir am Hafen von Langeoog aus und fahren mit der Inselbahn in den kleinen Ort. Dort leihen wir zwei Fahrräder und fahren an den Strand.
Zum Baden ist es zu kalt. Aber das macht nichts. Wir ziehen unsere Schuhe aus. Dann gehen wir durch den weichen Sand.

Ich weiß auch nicht, wie es passiert ist. Irgendwann hält Merle plötzlich meine Hand. Oder ich halte ihre. So genau weiß ich das auch nicht.

der Hafen: dort halten Schiffe   der Sand: → S. 37

Wir gehen Hand in Hand weiter. Es fühlt sich so gut an. Dann geht die Sonne unter. Ich umarme Merle und küsse sie. Und sie küsst mich auch.
Wir merken gar nicht, wie die Zeit vergeht. Plötzlich fällt mir das Schiff wieder ein. Um zehn Uhr abends geht das letzte Schiff nach Hause. Wir haben es verpasst.
Jetzt müssen wir auf der Insel übernachten. Aber das macht nichts. Ich habe meine warme Jacke dabei. Wir gehen zu den Strandkörben. Ein Strandkorb ist noch offen. Wir setzen uns hinein. Merle kuschelt sich an mich. Ich lege meine Jacke über unsere Arme. So bleiben wir ganz eng zusammen.
Es ist die schönste Nacht meines Lebens.

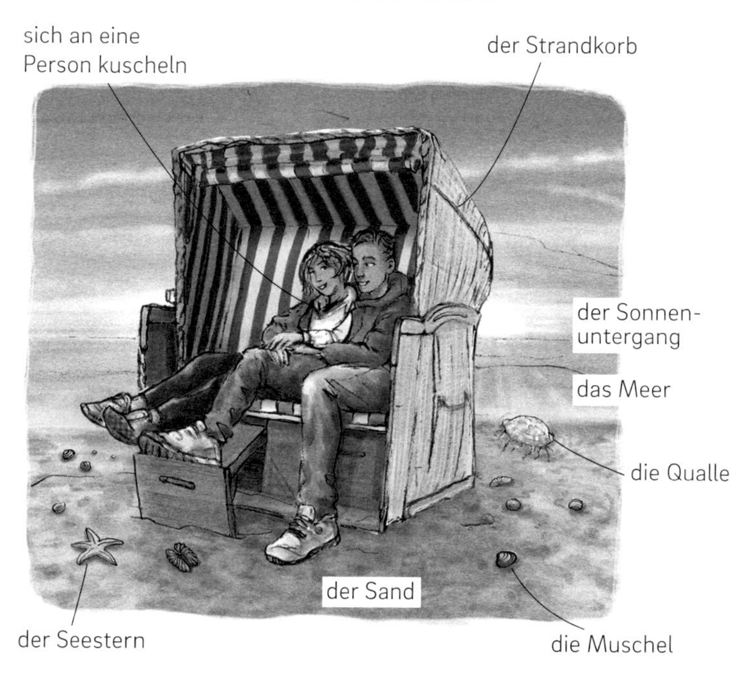

umarmen: die Arme um eine Person legen

vergehen: weitergehen

zu Seite 4 und Seite 5

1. Wer ist wer? Lies auf Seite 4 und ergänze die Namen. Tipp: Es können auch zwei sein.

Sie / Er

a ist 16 Jahre alt: ....

b heißt mit Nachnamen Richter: ....

c arbeitet in der Jugendherberge: ....

d ist in der 9. Klasse: ....

e ist geschieden: ....

2. Die geplante Tour. Sieh die Karte an und lies auf Seite 5. Beantworte die Fragen.

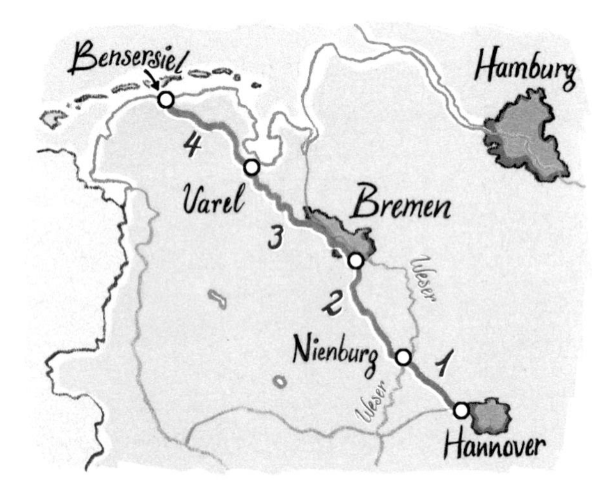

a Wo beginnt die Radtour? ....

b Wo wohnen Clemens' Großeltern? ....

c Wo liegt die Jugendherberge? ....

d Wie lang ist die dritte Etappe? ....

e Was ist das Ziel? ....

1. „Nach“, „in“ oder „im“? Ergänze, wenn nötig, auch den Artikel in der richtigen Form.

a Heute radeln wir .... Bremen.
b Endlich sind wir .... Bremen!
c Wir gehen .... d........ Jugendherberge hinein.
d Wir übernachten .... d........ Jugendherberge.
e Ich schlafe .... e........ Sechsbettzimmer.
f Ich schließe meine Fahrradtasche .... d........ Schrank.
g Clemens schläft .... Zimmer der Jungen.

2. Bremen. Was ist richtig? Hör zu und kreuze an.

a Bremen liegt an der Nordsee. ○
b Bremen hat einen sehr alten Marktplatz. ○
c Dort stehen die Bremer Stadtmusikanten. ○
d Das ist eine Geschichte über Leute aus Bremen. ○
e Die Brüder Grimm haben in Bremen gelebt. ○

3. Nomen-Rätsel. Ergänze mit dem bestimmten Artikel.
Tipp: Alle Wörter stehen im Text.

a zwei Betten übereinander: ....
b dort nimmt man sich Essen: ....
c sehr große Figur in einer Stadt: ....
d wenn zwei Münder sich treffen: ....
e wenn man plötzlich große Angst hat: ....

4. **Clemens und Merle. Lies den Text ab Seite 10 und beantworte die Fragen.**

a Clemens sagt: „Ich mache mit Merle Schluss."
Was heißt das? ....

....

b Merle hört Clemens' Telefonat mit Charlotte. Wie geht es ihr dann? ....

....

....

c Was will Merle jetzt tun? ....

....

zu Kapitel 2

08 1. **Ole. Hör zu und ergänze.**

a Oles .... besitzt eine kleine .... an der ....

b Früher haben Oles .... die Pension .... gehabt.

c Oles .... lebt aber seit .... Jahren nicht mehr bei ihnen. Seitdem hilft .... seiner Mutter.

d In den .... hat er viel Zeit.

2. Was macht Ole? Ergänze das passende Verb.
Tipp: Alle Verben sind im Text.

a das Badezimmer ....

b das Schlafzimmer ....

c das Fenster ....

d den Papierkorb ....

e das Bett ....

f das Zimmer ....

3. Was ist denn los? Bringe den Text in die richtige Reihenfolge.

a ◯ Sie liegt im Krankenhaus.

b ◯ Die Polizisten sehen ernst aus.

c ◯ Sie bringen Ole eine schlechte Nachricht.

d ① Plötzlich klingelt es.

e ◯ Seine Mutter ist mit dem Rad gestürzt.

f ◯ An der Haustür stehen zwei Polizisten.

4. Was antwortet Ole? Verbinde die Sätze.

a Ich habe ein Zimmer reserviert.

b Warum nicht? Bitte! Ich bin ganz nass.

c Bitte lass mich doch rein. Es ist schon dunkel.

1. Trotzdem. Wir haben heute leider geschlossen.

2. Na gut. Komm rein. Das Zimmer ist auch schon fertig.

3. Das tut mir leid. Heute geht es nicht.

5. Ergänze das Gegenteil.
Tipp: Alle Wörter sind im Text.

a krank ≠ ....

b unfreundlich ≠ ....

c trocken ≠ ....

d glücklich ≠ ....

e lustig ≠ ....

f wach ≠ ....

zu Kapitel 3

1. Was bedeutet das? Kreuze an.

a „Merle hat Bammel."

1. ○ Sie freut sich.
2. ○ Sie hat Angst.
3. ○ Sie hat viel Geld.

b „Ole ist geschockt."

1. ○ Er ist schick.
2. ○ Er ärgert sich.
3. ○ Er kriegt einen Schreck.

2. Merle hat viele Fragen. Hör zu und ergänze.

a ■ ....
● Im Moment schon. Allerdings wollte heute eine größere Gruppe Radfahrer kommen. Ich muss ihnen aber leider absagen.

b ■ ....
● Meine Mutter ist im Krankenhaus. Sie kann sich nicht um die Gäste kümmern. Und allein schaffe ich das ja auch nicht.

c ■ ....
● Sie hat sich das Bein gebrochen.

3. Chaos auf der Mailbox. Hör zu und markiere die Fehler. Schreib die Nachricht dann richtig in dein Heft.

> Hallo, hier ist Clemens Richter von der Pension „Ferienglück" in Hannover. Sie können gerne zu uns kommen. Unsere Wohnung bleibt für zwei Jahre geöffnet. Bei uns hat es einen Geburtstag gegeben.

Hallo, hier ist ...

4. Die Radfahrer. Lies auf S. 27 und ergänze das Verb.

a Die Radfahrer .... auf dem Flur.
b Ole .... ihnen ihre Schlüssel.
c Sie .... in ihre Zimmer.
d Ole und ich .... uns an.
e Dann muss Ole ....

11 5. Wer sagt was? Hör zu und kreuze an.

		Merle	Ole
a	Leider gibt es ein Problem.	○	○
b	Die können doch bleiben.	○	○
c	Ich bleibe zwei Wochen und helfe dir.	○	○
d	Weißt du, was du da sagst?	○	○
e	Dann sind wir also Kollegen?	○	○

zu Kapitel 4

1. Was gibt es zum Frühstück? Ergänze mit dem bestimmten Artikel.

a	....	h	....
b	....	i	....
c	....	j	....
d	....	k	....
e	....	l	....
f	....	m	....
g	....	n	....

2. **Mit Musik geht alles besser. Hör zu und ergänze.**

Merle und ich verstehen uns richtig gut. Es macht .... mit ihr. Sogar das Putzen ist ....
Wir machen die .... ganz laut an. Manchmal .... wir auch bei der Arbeit. Und manchmal .... wir sogar. Merle hält einen Föhn wie ein .... vor den Mund. Ich .... laut ....
Dann .... ich über den Flur.

3. **Lies ab S. 30 unten und beantworte die Fragen.**

a Wer steht plötzlich vor der Tür? ....

b Was will er? ....

c Was möchte Merle? ....

4. **Was passt zu wem? Lies auf S. 32 und verbinde.**

a 

Ole

b  

Merle

c  

Clemens

1. ist müde.
2. hat Mitleid.
3. ist wütend.

5. Was denkt Ole? Lies auf S. 32 und kreuze an.

a Wer ist der Junge? ○
b Ist das Merles Cousin? ○
c Haben sie sich hier verabredet? ○
d Ist er allein gekommen, weil es Streit gegeben hat? ○
e Er sieht sehr kräftig aus. ○
f Er soll wieder gehen. ○

zu Kapitel 5

1. Was hat Clemens am Telefon (S. 10–11) zu Charlotte gesagt? Und was sagt er jetzt zu Merle? Schreib vier Sätze.

am Telefon: ....

....

jetzt: ....

....

2. Lügt Clemens? Was meinst du? Kreuze an.

a „Ich habe dich überall gesucht." ○
b „Welches Gespräch? Was meinst du?" ○
c „Ich wollte Charlotte nur beruhigen." ○
d „Ich will nicht mit dir Schluss machen." ○

3. Clemens dreht sich um und geht. Wie geht die Geschichte weiter? Schreib einen eigenen Schluss.

....

....

....

....

1. Auf Langeoog. Finde zehn Wörter, markiere und ergänze mit Artikel.

N	O	R	D	S	E	E	O	F	A	S
T	B	I	H	W	I	P	N	S	M	C
L	A	N	G	E	O	O	G	A	E	H
H	H	S	T	R	A	N	D	N	E	I
J	N	E	Z	T	X	B		D	R	F
P	E	L	S	O	N	N	E	M	F	F
S	T	R	A	N	D	K	O	R	B	A

(die Insel) Langeoog, ……………………………………

……………………………………

……………………………………

2. Wie hat dir die Geschichte gefallen? Kreuze an und schreib kurz deine Meinung.

○ gut ☺ ○ geht so 😐 ○ nicht so gut ☹

Deine Meinung: ……………………………………

……………………………………

……………………………………

Seite 4 und Seite 5
1. a Merle, Ole; b Clemens; c Klaus; d Merle, Ole; e Frau Haarms
2. a in Hannover, b in Nienburg (an der Weser), c in Bremen, d ca. 75 Kilometer, e Bensersiel, die Nordsee

Kapitel 1
1. a nach, b in, c in die, d in der, e in einem, f in den, g im
2. b, c
3. a das Stockbett, b das Buffet, c das Denkmal, d der Kuss, e der Schreck
4. *Lösungsvorschlag:* a Er will zu Merle sagen: „Ich will nicht mehr mit dir zusammen sein." b Sie bekommt einen großen Schreck. Sie kann gar nicht glauben, was Clemens sagt. Sie ist wie gelähmt. c Sie will diese Radtour weiterfahren – ohne Clemens.

Kapitel 2
1. a Mutter, Pension, Nordsee; b Eltern, zusammen; c Vater, drei, Ole; d Sommerferien
2. a putzen, b staubsaugen, c putzen, d leeren, e beziehen, f abstauben
3. d, f, b, c, e, a
4. a 3, b 1, c 2
5. a gesund, b freundlich / nett, c nass, d unglücklich / traurig, e traurig / ernst, f müde

Kapitel 3
1. a 2, b 3
2. a Bin ich der einzige Gast? b Warum? c Ist es schlimm mit deiner Mutter?
3. Hallo, hier ist *Ole Haarms* von der Pension „*Nordseeblick*" in *Bensersiel*. Sie können *nicht* zu uns kommen. Unsere *Pension* bleibt für zwei *Wochen geschlossen*. Bei uns hat es einen *Unfall* gegeben."
4. a stehen, b gibt, c gehen, d schauen e grinsen
5. *Merle:* b, c; *Ole:* a, d, e

Kapitel 4
1. a das Müsli, b die Milch, c der Kuchen, d das Croissant, e das Brötchen, f das gekochte Ei, g das Rührei, h der Joghurt, i der Zucker, j das Obst, k die Wurst, l der Käse, m der Saft, n der Kaffee / der Tee
2. Spaß, lustig, Musik, singen, tanzen, Mikrofon, singe, mit, tanze
3. *Lösungsvorschlag:* a Clemens, b Er will mit Merle sprechen. c Merle möchte, dass er wieder verschwindet.
4. a 2, b 3, c 1
5. a, d, f

Kapitel 5
1. *Lösungsvorschlag: am Telefon:* Ich liebe nur dich. Auf der Rückfahrt mache ich mit Merle Schluss. *jetzt:* Ich liebe nur dich. Ich will nicht mit dir Schluss machen. Ich wollte Charlotte nur beruhigen.
2. *individuelle Lösung*
3. *Lösungsvorschlag:* Merle und Ole verlieben sich ineinander. Nach den Ferien wollen sie sich jedes Wochenende sehen. Clemens fährt mit dem Zug zurück nach Hannover. Er ist jetzt mit Charlotte zusammen.

Kapitel 6
1. *horizontal:* (die Insel) Langeoog, die Nordsee, der Strand, die Sonne, der Strandkorb; *vertikal:* die Bahn, die Insel, der Sand, das Meer, das Schiff
2. *individuelle Lösung*